跳格格

◎中国绘◎

的日子

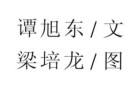

谭旭东 / 文

梁培龙 / 图

·广州·

广东省出版集团

新世纪出版社

目 录

跳格格的日子

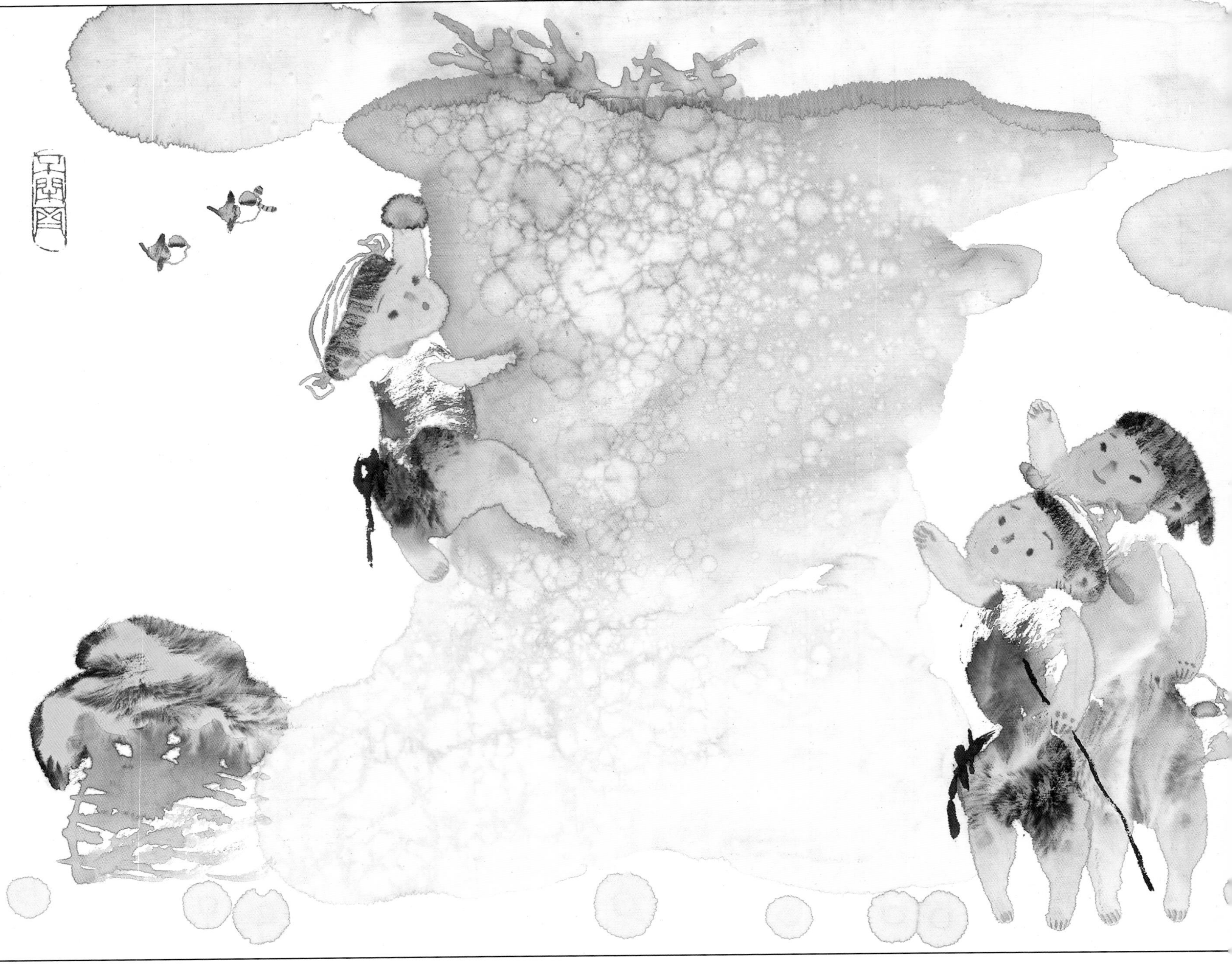

掏鸟窝

小鸟，小鸟
你妈妈在家吗
听到你喳喳地叫
一定是肚子饿了

小鸟，小鸟
让我带你回家吧
我给你喂小米
我给你喂虫虫
喂饱了，再把你送回家

跳格格

拾起一块小石子
在禾坪上
画出一个个方格格
我们一起来跳吧

看谁能把小瓦片
踢得有条不紊
看谁能把方格格
跳得妙趣横生

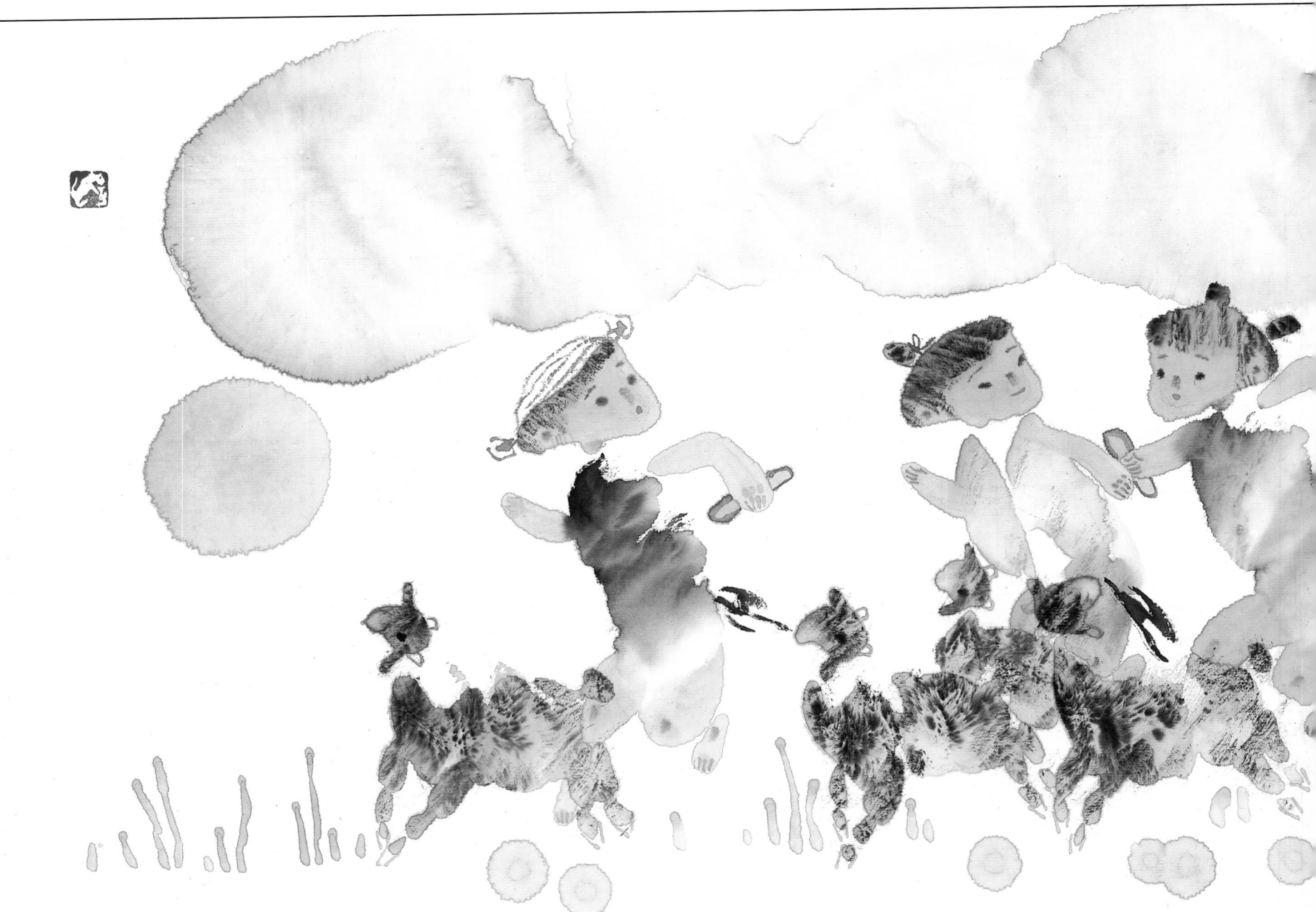

比 快

山野间清风在吹
草地上羊儿在跑
山雀的歌声
从树林子里飞出来
小伙伴们
我们一起来赛跑吧
看谁跑得比风儿还快
看谁跑得比羊儿还快
看谁跑得比山雀还快

入梦的水牛

倚着老水牛
把小柳叶衔在嘴边
轻轻地吹
嘀嘀嘀
小燕子们听了
欢欢喜喜飞到老水牛的背上

叽叽叽
老水牛在小燕子的歌声中
进入了甜甜的梦乡

馋 猫

哦，小猫咪
抬起头来，眯着眼睛
看着我干啥

想和我玩捉迷藏
还是想躲在我怀里伸懒腰

哦，小猫咪
抬起头来，眯着眼睛
原来你想吃我的糖葫芦

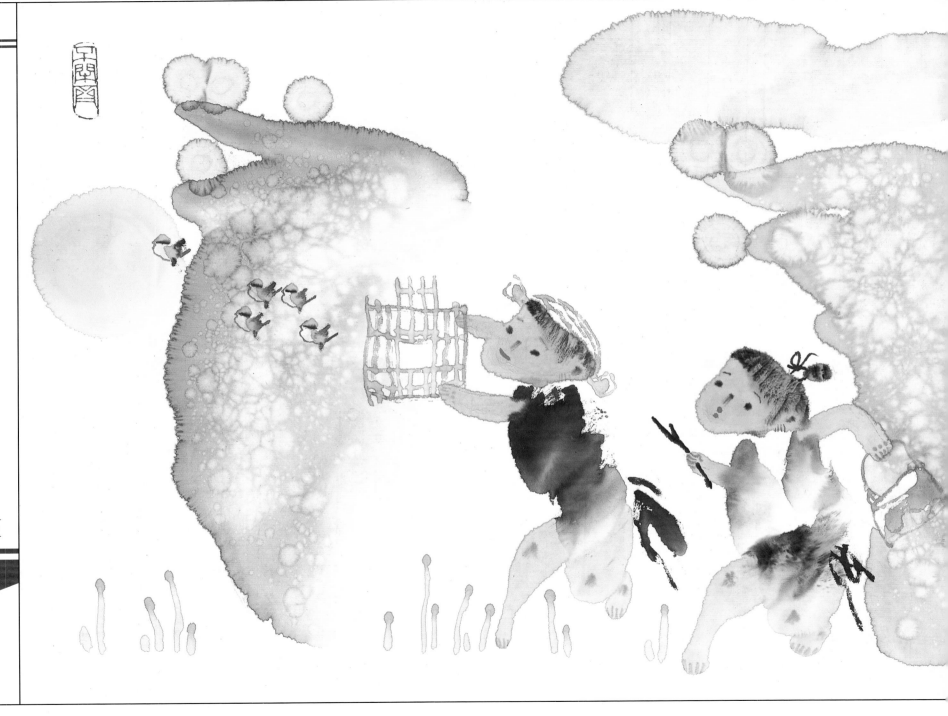

飞 吧

小鸟，小鸟
别撞笼子
别大声地喊叫
我知道你想飞出去
想回到森林里
和妈妈一起啄虫唱歌

爷爷不在家
没有人会打我的屁股
你快点飞吧
飞回你温暖的小巢
那里有你的弟弟和妹妹
它们等着你一起嬉笑打闹

斗蟋蟀

萤火虫小弟弟
可能很忙吧
没有打着灯笼来观战呀
可谁还顾得上它们呢
我们忙着斗蟋蟀——
看看谁的蟋蟀更勇敢
谁的蟋蟀更智慧

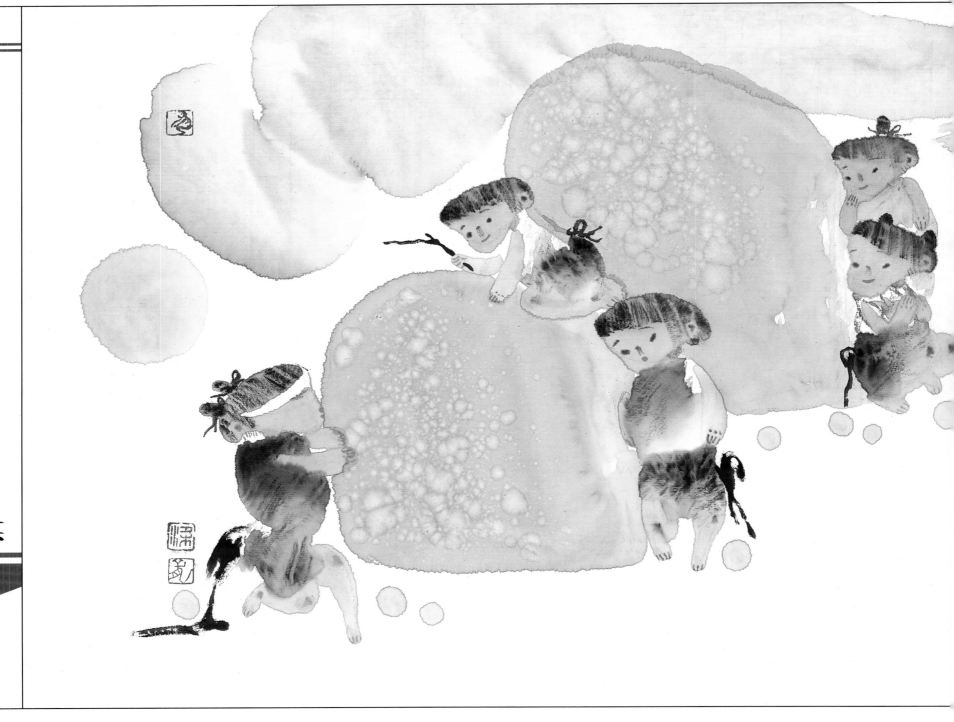

捉迷藏

草垛像一座座小山
我们在山里玩打仗
也在山里捉迷藏
快乐的童年
在草垛里自由穿梭

橘红的晚霞映在草垛上
妈妈焦急地站在村口
喊着孩子的乳名
草垛里藏着小小的秘密
乡村的日子让我们永远铭记

蟹 戏

夏夜的篱笆墙边
螃蟹们横冲直撞
水乡的孩子乐呵呵
让我来逗逗这群小霸王
瞧我挑起一个小肉团
把几只螃蟹哄得团团转

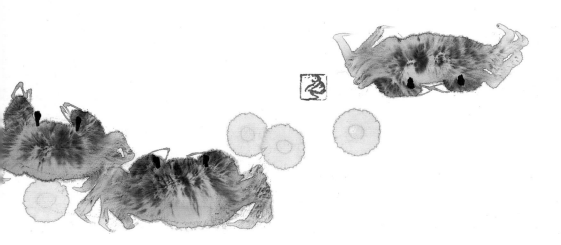

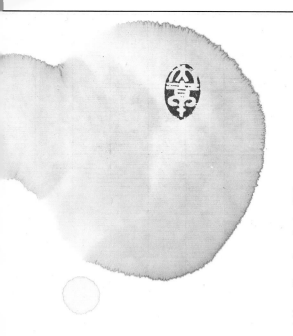

月 夜

呱呱，呱呱
夏天的月夜
一点也不凉快
青蛙伸着脖子喊
想把炎热揉碎在稻田里

呱呱，呱呱
青蛙鼓起腮帮子
想模仿电视里的歌星
唱一首比泉水叮咚还时髦的歌曲
可它不知道
有两个小淘气
正举着灯悄悄靠近

路

四只小脚丫
在芦花荡里
噼啪噼啪
走出了一条路

乡村的童年
孩子的梦想
就从这里延伸延伸
延伸到山外的世界

晨　韵

太阳刚刚起床
惺忪着眼睛
从山那边探出头来
乡村的孩子
已经把牛儿赶到了山野
他吹出的哨音
是小鸟儿的小闹钟
也把大山从睡梦中唤醒

乐 水

划着小船
和野鸭子排排队
在湖里游泳

划着小船
在荷叶中尽情穿梭
春天的风越来越温暖
小鸟来报告夏天的消息

划着小船
像所有的水乡孩子一样
打捞水的乐趣
捕获水的灵气

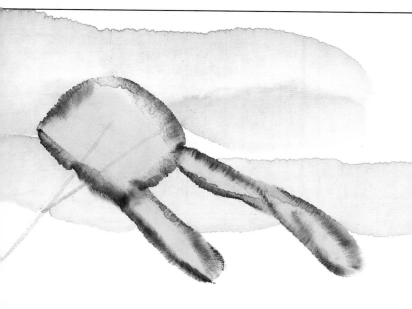

春风得意

春风吹拂的日子
思念是最得意的孩子
它就像二月的风筝
飞向湛蓝的天空
把初春的日子
点缀成
充满幻想与期待的图画

图书在版编目（CIP）数据

跳格格的日子/ 谭旭东文；梁培龙图. 一广州：新世纪出版社，
2010.8（2011.4 重印）
（中国绘）
ISBN 978-7-5405-4093-7

I . ①跳… II . ①谭… ②梁… III . ①儿童文学—诗歌—作品集—中
国—当代 IV . ① I287.2

中国版本图书馆CIP数据核字（2010）第154742号

出 版 人：孙泽军
策　　划：王　清　翁　容
责任编辑：翁　容　李粒子
美术编辑：廖耀雄
责任技编：王建慧

中国绘 **跳格格的日子**

谭旭东 / 文　梁培龙 / 图

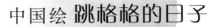

出版发行：新世纪出版社
经　　销：全国新华书店
印　　刷：广州市恒远彩印有限公司
规　　格：889毫米×1194 毫米　16 开本
印　　张：10.25
版　　次：2010年8月第1版
印　　次：2011年4月第2次印刷
书　　号：ISBN 978-7-5405-4093-7
定　　价：68.00元（全五册）

质量监督电话：020-83797655　购书咨询电话：020-83792970